Direction éditotiale : Jannie Brisseau
Coordination éditoriale : Agnès Besson
Direction artistique : Bernard Girodroux, Anne-Catherine Souletie
Maquette : Ségolène Even

ISBN : 2-09-202111-7
© Éditions Nathan (Paris-France), 1997
© Nathan/VUEF, 2001.
Impression et reliure par Pollina s.a., 85400 Luçon - n° 84279
N° d'éditeur : 10088119 - (VI) - 50 - CSBS - 200°
Dépôt légal : août 2001
ISBN 2.09.210628-7

# Petites Histoires
## À RACONTER

Textes de Natha Caputo et Sara Cone Bryant

Illustrations de Sylvie Albert, Hervé Blondon,
Christel Desmoinaux, Martin Jarrie, Irina Karlukowska,
Anne-Sophie Lanquetin, Jean-François Martin,
Martin Matje, Christophe Merlin et Andrée Prigent

NATHAN

# La Drôle de Maison

D'une voiture tomba un jour une grosse cruche qui roula jusque dans un champ.

Passe en trottinant une petite souris ; elle aperçoit la cruche.

– Oh ! la jolie maison, dit-elle. Qui peut bien y habiter ? Cruchon, cruchette, qui habite dans la cruche ?

Personne ne répond. La souris pousse alors son museau dans la cruche ; elle ne voit rien.

– Eh bien, donc, dit-elle, je vais y habiter moi-même.

Et la voilà qui s'installe.

Passe en sautant une petite grenouille.

– Oh ! la jolie maison, dit-elle. Cruchon, cruchette, qui habite dans la cruche ?

– Moi, la souris grise. Et toi, quelle bête es-tu ?

– Je suis la grenouille qui se mouille...

– Eh bien, entre, on va vivre ensemble, dit la souris.

– Avec plaisir, répond la grenouille.

Et la grenouille entre dans la cruche pour vivre avec la souris.

Un lièvre passe, tout courant.

– Oh ! la jolie maison, dit-il. Cruchon, cruchette, qui habite dans la cruche ?

– Moi, la grenouille qui se mouille, avec la souris grise. Et toi, qui es-tu ?

– Je suis le lièvre et je cours aussi vite que le vent. On peut entrer ?

– Tu peux entrer et tu peux rester. Il y a de la place !

Les voilà trois dans la cruche, quand passe le renard.

– Oh ! la jolie maison, dit-il. Cruchon, cruchette, qui habite dans la cruche ?

– Moi, coasse la grenouille. Il y a aussi la souris grise et le lièvre rapide comme le vent. Et toi, qui es-tu ?

– Je suis le renard à la queue touffue...

– Eh bien, viens avec nous, reprit la grenouille.

– Soit, dit le renard.

Et les voilà quatre dans la cruche.

Le loup s'approche à son tour, méfiant, la queue basse.

– Oh ! la jolie maison, dit-il. Cruchon, cruchette, qui habite dans la cruche ?

— Moi, dit le renard, avec le lièvre aussi rapide que le vent, la souris grise et la grenouille qui se mouille. Et toi, comment t'appelles-tu ?

— Je suis le loup gris des taillis...

— Viens avec nous !

— Bien, dit le loup.

Et les voilà cinq dans la cruche.

Ils vivaient là, tous en paix, quand arriva l'ours.

— Oh ! la drôle de maison, grogna-t-il. Cruchon, cruchette, qui habite dans la cruche ?

— Nous sommes toute une bande, cria la souris de sa petite voix pointue ; il y a le renard à la queue touffue, avec la grenouille qui se mouille, et le loup gris des taillis, et le lièvre aussi rapide que le vent, et moi, la souris grise. Mais toi, qui es-tu ?

– Je suis l'ours velu...

– Viens avec nous ! crièrent-ils tous.

– Non, je suis bien trop gros, répondit l'ours.

Et ce lourdaud, s'asseyant sur la cruche, la mit en morceaux.

Et tous les habitants de la cruche se sauvèrent dans toutes les directions.

# La Petite Poule rouge

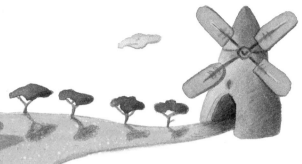

La petite poule rouge grattait dans la cour, quand elle trouva un grain de blé !

– Qui est-ce qui va semer ce blé ? dit-elle.

– Pas moi, dit le dindon.

– Ni moi, dit le canard.

– Ce sera donc moi, dit la petite poule rouge, et elle sema le grain de blé.

Quand le blé fut mûr, elle dit :

– Qui est-ce qui va porter ce grain au moulin ?

– Pas moi, dit le dindon.

– Ni moi, dit le canard.

– Alors, je le porterai, dit la petite poule rouge, et elle porta le grain au moulin.

Quand le blé fut moulu, elle dit :

– Qui est-ce qui va faire du pain avec cette farine ?

– Pas moi, dit le dindon.

– Ni moi, dit le canard.

– Je le ferai, alors, dit la petite poule rouge, et elle fit du pain avec la farine.

Quand le pain fut cuit, elle dit :

– Qui est-ce qui va manger ce pain ?

– Moi ! cria le dindon.

– Moi ! cria le canard.

– Non, pas vous, dit la petite poule rouge. Moi et mes poussins nous le mangerons.

Clack ! clack ! Venez, mes chéris !

# Le Petit Sapin

Il était une fois un petit sapin.

Seul, dans la forêt, au milieu des autres arbres qui avaient des feuilles, il avait des aiguilles, rien que des aiguilles. Comme il se plaignait !

– Tous mes camarades ont de belles feuilles vertes. Moi j'ai des piquants ! Je voudrais avoir, pour leur faire envie, des feuilles tout en or !

Et le lendemain, quand il s'éveilla, il fut ébloui :

– Où sont mes piquants ? Je ne les ai plus. Mais les feuilles d'or que je demandais, on me les a données. Que je suis content !

Et tous ses voisins qui le regardaient se mirent à dire :

– Le petit sapin, il est tout en or !

Mais voilà qu'un vilain voleur vint dans la forêt et les entendit. Il pensa en lui-même : « Un sapin en or, voilà mon affaire ! »

Mais il avait peur d'être rencontré et revint le soir avec un grand sac. Il prit toutes les feuilles sans en laisser une.

Le lendemain, le pauvre sapin, qui se vit tout nu, se mit à pleurer.

– Je ne veux plus d'or, se dit-il tout bas. Quand les voleurs viennent, ils vous prennent tout et on n'a plus rien. Je voudrais avoir des feuilles tout en verre ! Le verre brille aussi.

Or, le lendemain, quand il s'éveilla, il avait les feuilles qu'il souhaitait. Il fut bien content et se mit à dire :

– Au lieu de feuilles d'or, j'ai des feuilles de verre, je suis bien tranquille, on me les laissera.

Et tous ses voisins qui le regardaient dirent à leur tour :

– Le petit sapin, il est tout en verre !

Mais, quand vint le soir, voilà la tempête qui souffle bien fort. Le petit sapin a beau supplier, le vent le secoue et, de toutes ses feuilles, n'en laisse pas une.

La nuit est passée, maintenant c'est le jour. Voyant le dégât, le pauvre sapin se met à pleurer :

– Que je suis malheureux ! Encore une fois, me voilà tout nu. Toutes mes feuilles d'or, on les a volées, et mes feuilles de verre, on les a brisées. Je voudrais avoir, comme mes camarades, de belles feuilles vertes.

Or, le jour suivant, quand il s'éveilla, il avait reçu ce qu'il souhaitait.

— Que je suis content ! Me voilà tranquille, je ne crains plus rien.

Et tous ses voisins qui le regardaient se mirent à dire :

— Le petit sapin ! Tiens, tiens, tiens, tiens ! Il est comme nous !

Mais, dans la journée, voilà que la chèvre avec ses chevreaux vient se promener. Quand elle aperçoit le petit sapin, elle se met à dire :

– Venez, mes petits, venez, mes enfants ! Régalez-vous bien et ne laissez rien.

Les petits chevreaux viennent en sautant et dévorent tout en moins d'un instant.

Puis, quand vint le soir, le petit sapin, tout nu, frissonnant, se mit à pleurer comme un pauvre enfant.

– Ils ont tout mangé, dit-il tout bas, et je n'ai plus rien. J'ai perdu mes feuilles, mes belles feuilles vertes, comme mes feuilles de verre et mes feuilles d'or. Si on me rendait toutes mes aiguilles, je serais content !

Et le lendemain, en se réveillant, le petit sapin ne sait plus que dire, il a retrouvé tous ses vieux piquants !

Comme il est heureux !

Comme il s'admire !

Il est bien guéri de tout son orgueil. Et tous ses voisins qui l'entendent rire se mettent à dire en le regardant :

– Le petit sapin, il est comme avant !

# Le Serpent et la Grenouille

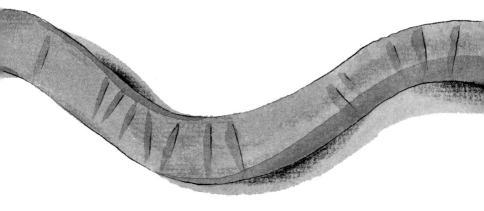

Un serpent et une grenouille, un jour se rencontrèrent.

— Où allez-vous ainsi, vénérable frère ? demanda la grenouille.

Le serpent répondit avec colère :

— Je vais droit mon chemin.

Le serpent n'ajouta rien, et la grenouille, qui était très curieuse et très bavarde, demanda :

— Pourquoi est-ce que vous changez de peau de temps en temps ?

— Pour me faire beau, grogna le serpent.

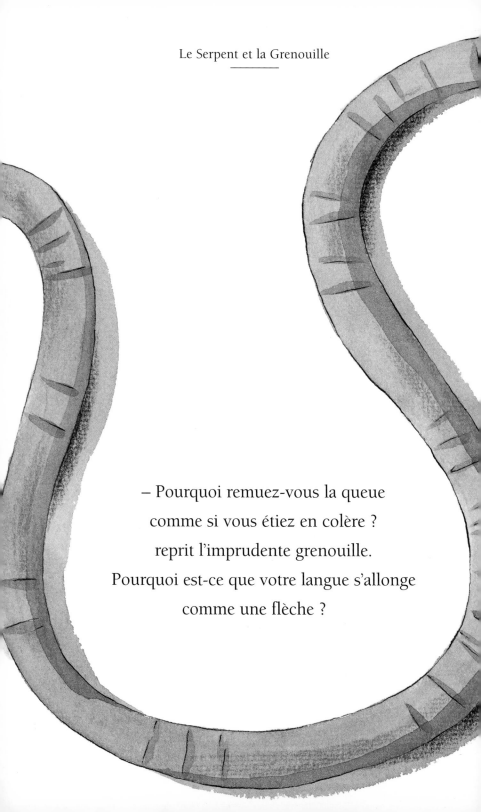

– Pourquoi remuez-vous la queue
comme si vous étiez en colère ?
reprit l'imprudente grenouille.
Pourquoi est-ce que votre langue s'allonge
comme une flèche ?

Pourquoi jetez-vous la tête en avant, comme pour effrayer les gens, et pourquoi rampez-vous sur le ventre tout le long de l'année ?

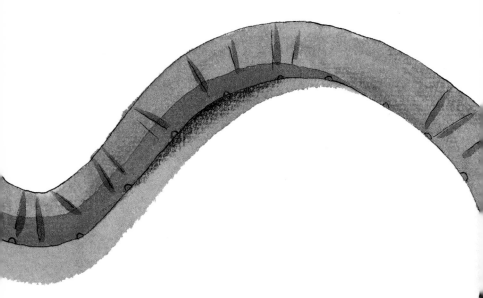

Le serpent trouva ces questions fort imperti-
nentes et, se tournant vers la grenouille, il lui
dit :

– Et vous, pourquoi vos yeux sont-ils à fleur
de tête ?

– Parce que je suis une grenouille de belle
espèce, dit-elle.

– Et pourquoi tenez-vous la bouche si grande
ouverte ?

– Parce que j'ai toujours des messages à porter,
et que je prends part à beaucoup de conversations.

– Qu'est-ce que vous faites tout le long du jour ?

– Le soir je chante ; à minuit j'appelle : « Qui va là ? » et le matin je crie : « Qui êtes-vous ? »

– Eh bien ! Je vais vous faire voir qui je suis ! dit le serpent et, ouvrant la bouche, il avala la pauvre grenouille.

C'est depuis ce temps-là que les serpents poursuivent les grenouilles et les mangent.

# Pourquoi les animaux ont une queue

Dans ce temps-là, les animaux n'avaient pas de queue. Pas plus le renard que le lapin, pas plus la belette que la souris.

Un jour, le bruit se répandit qu'il allait y avoir une grande foire ; une foire comme on n'en avait jamais vu et où des queues seraient vendues.

Le renard courait vite. Il courut plus vite encore et arriva le premier à la foire.

C'était vrai. Il y avait là des tas de queues à vendre : des grosses, des minces, des longues, des courtes, des touffues, des râpées, des lisses, des grenues et des râpeuses...

Le renard regarda partout, chercha bien et se choisit celle qui était la plus touffue et la plus belle.

Tout fier, il s'en retournait chez lui, quand il rencontra le chien.

– Reste-t-il encore des queues à vendre ? demanda le chien.

– Oui, oui, répondit le renard. Il en reste encore beaucoup, mais pas tout à fait aussi belles que la mienne.

Mais le chien se trouva, lui aussi, une queue qui le contenta.

Il s'en retournait chez lui, quand il rencontra le chat.

– Reste-t-il encore des queues à vendre ? demanda le chat.

– Oui, oui, dit le chien. Il en reste encore beaucoup, mais pas tout à fait aussi belles que la mienne...

Le chat, pourtant, se trouva une longue queue, joliment rayée et qui avait l'air de remuer toute seule.

Il s'en retournait chez lui, quand il rencontra le cheval.

– Reste-t-il encore des queues à vendre ? demanda le cheval.

– Oui, oui, dit le chat. Il en reste encore beaucoup, mais pas tout à fait aussi belles que la mienne.

Le cheval trouva quand même une grande belle queue qui lui plut, avec de longs crins.

Il s'en retournait chez lui, quand il rencontra la vache.

– Reste-t-il encore des queues à vendre ? demanda la vache.

– Oui, oui, il y en a encore, répondit le cheval. Mais les plus touffues, les plus poilues sont vendues, et celles qui restent ne sont pas bien belles. Tu peux tout de même aller voir...

La vache chercha longtemps et finit par dénicher une longue queue qui ressemblait à de l'herbe sèche.

Longtemps après tout le monde, arriva enfin le petit cochon.

– Y a-t-il encore une petite queue, grognait-il, y a-t-il encore une petite queue ?

Il ne restait plus pour le cochon qu'une petite queue en tire-bouchon. Il la trouva très jolie et se l'attacha immédiatement.

– J'ai une jolie petite queue, grognait-il, tout content, j'ai une jolie petite queue...

Et il la regardait tout le temps.

Mais nous, nous savons bien que c'est le renard qui avait choisi la plus belle.

Et depuis ce temps-là, les bêtes ont toujours porté une queue...

# C'était un loup si bête

Il avait très faim, ce loup. Alors il partit chercher quelque chose à manger.

Chemin faisant, il rencontra une chèvre. Le loup s'arrêta et lui dit :

– Chèvre, chèvre, je vais te manger !

Et la chèvre répondit :

– Mais ne vois-tu donc pas, bon loup, que je suis maigre comme un clou ! Tu n'y songes pas ! Attends plutôt que je fasse un saut jusqu'à la maison, et je te ramènerai un des mes chevreaux ! Cela fera bien mieux ton affaire !

Le loup consentit et la chèvre s'enfuit. Il attendit longtemps, longtemps...

Puis perdant patience, il reprit son chemin.

Et voilà qu'il rencontra un mouton. Le loup en fut tout content, et il lui cria :

– Où cours-tu donc, mouton ? Arrête-toi, je vais te manger !

Et le mouton répondit :

– Ne pourrais-tu choisir quelqu'un d'autre pour ton repas ? Ne sais-tu pas que je suis le meilleur danseur du monde ? Il serait vraiment dommage que je périsse...

– Tu sais réellement danser ? s'étonna le loup.

– Comment donc, seigneur le loup ! Je vais te le prouver à l'instant, répondit le mouton.

Et il se mit à tournoyer et à décrire des cercles de plus en plus grands, de plus en plus grands, si bien qu'à la fin il disparut.

Le loup fut très fâché de s'être laissé prendre et continua son chemin.

Et voilà qu'il rencontra un cheval. Le loup courut à lui et lui dit :

— Cheval, je te mange sur-le-champ !

Et le cheval répondit :

— D'accord, d'accord... mais il faut que tu te renseignes d'abord pour savoir si tu as vraiment le droit de me manger...

— Comment ça ? demanda le loup.

— Sais-tu lire ? demanda le cheval.

— Mais, bien sûr ! dit le loup.

— Alors, dit le cheval, c'est très simple. Passe derrière moi et tu verras un écriteau sur lequel il est écrit si tu as le droit de me manger ou non...

PAF

Le loup passa donc derrière le cheval qui lui décocha un tel coup de pied sur la tête qu'il en resta étourdi …

… pour le restant de sa vie.

Grr!

# La Maison
# que Pierre a bâtie

Voici la maison que Pierre a bâtie.

Voici la farine qui est dans le grenier de la maison que Pierre a bâtie.

Voici le rat qui a mangé la farine qui est dans le grenier de la maison que Pierre a bâtie.

Voici le chat qui a attrapé le rat qui a mangé la farine qui est dans le grenier de la maison que Pierre a bâtie.

Voici le chien qui a étranglé le chat qui a attrapé le rat qui a mangé la farine qui est dans le grenier de la maison que Pierre a bâtie.

Voici la vache qui a corné le chien qui a étranglé le chat qui a attrapé le rat qui a mangé la farine qui est dans le grenier de la maison que Pierre a bâtie.

Voici la servante qui a trait la vache qui a corné le chien qui a étranglé le chat qui a attrapé le rat qui a mangé la farine qui est dans le grenier de la maison que Pierre a bâtie.

Voici le méchant brigand qui a battu la servante qui a trait la vache qui a corné le chien qui a étranglé le chat qui a attrapé le rat qui a mangé la farine qui est dans le grenier de la maison que Pierre a bâtie.

Voici le bon monsieur qui a arrêté le méchant brigand qui a battu la servante qui a trait la vache qui a corné le chien qui a étranglé le chat qui a attrapé le rat qui a mangé la farine qui est dans le grenier de la maison que Pierre a bâtie.

Ceci est le coq qui a éveillé le bon monsieur qui a arrêté le méchant brigand qui a battu la servante qui a trait la vache qui a corné le chien qui a étranglé le chat qui a attrapé le rat qui a mangé la farine qui est dans le grenier de la maison que Pierre a bâtie.

Voici Pierre qui a semé le grain qui a nourri le coq qui a éveillé le bon monsieur qui a arrêté le méchant brigand qui a battu la servante qui a trait la vache qui a corné le chien qui a étranglé le chat qui a attrapé le rat qui a mangé la farine qui est dans le grenier de la maison que Pierre a bâtie.

# Le Petit Coq et la Poulette

Il était une fois un petit coq et une poulette qui s'en allèrent au bois cueillir des noisettes.

Le petit coq, grimpé sur le noisetier, cueillait les noisettes, les jetait par terre et la poulette les ramassait.

Et voilà qu'une des noisettes tomba juste dans l'œil de la poulette ! La poulette se mit à pleurer. Des paysans passèrent.

– Poulette, poulette, pourquoi pleures-tu ?

– Le coquelet m'a poché l'œil !

– Coquelet, coquelet, pourquoi as-tu poché l'œil de la poulette ?

– Parce que le noisetier m'a écorché !

– Noisetier, noisetier, pourquoi as-tu écorché le coquelet ?

– Parce que les chèvres ont brouté mes petites feuilles vertes !

– Chevrettes, chevrettes, pourquoi avez-vous brouté les petites feuilles vertes du noisetier ?

– Parce que les bergers nous ont mal gardées !

– Bergers, bergers, pourquoi avez-vous si mal gardé les chevrettes ?

– Parce que la maîtresse ne nous a pas donné de galettes !

— Maîtresse, maîtresse, pourquoi n'as-tu pas donné de galettes aux bergers ?

— Parce que la truie a renversé toute ma pâte !

— Grosse truie, grosse truie, pourquoi as-tu renversé la pâte des galettes ?

— Parce que le loup a emporté un de mes porcelets, un de mes petits cochons de lait !

— Loup dentu, loup pointu, pourquoi as-tu dévoré le petit cochon de lait ?

— Parce que j'avais faim, comprends-tu ?

# Le Tigre
# et les Deux Petits Chacals

En Inde, il y a de vastes forêts qu'on appelle jungles. Dans une de ces jungles vivait un gros tigre, et le tigre était le roi de la jungle. Quand il voulait manger, il sortait de sa caverne et rugissait. Quand il avait rugi deux ou trois fois, toutes les autres bêtes étaient si effrayées qu'elles couraient çà et là pour se sauver, et le tigre n'avait qu'à sauter dessus et les manger.

Il fit cela si souvent qu'à la fin, il ne resta plus dans la jungle que lui-même et un couple de petits chacals.

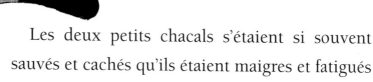

Les deux petits chacals s'étaient si souvent sauvés et cachés qu'ils étaient maigres et fatigués et qu'ils ne pouvaient plus courir.

Un jour, le tigre vint si près de leur terrier que la mère chacal fut tout effrayée et dit à son mari :

– Oh ! petit père chacal, petit père chacal, je crois que notre temps est venu, le tigre va sûrement nous attraper, cette fois !

– Bah ! des bêtises ! dit père chacal. Sauvons-nous et allons voir si nous ne trouvons rien à manger.

Ils se sauvèrent donc, vite, vite, vite, et le tigre ne put pas encore les attraper cette fois-là.

Mais, à la fin, le jour vint où le tigre découvrit leur retraite, et la pauvre petite mère chacal se mit à pleurer.

– Oh ! oh ! oh ! petit père, dit-elle, il me semble déjà être mangée !

– N'aie pas peur, petite mère, dit père chacal, fais seulement tout ce que je te dirai.

Ils se prirent par la patte et coururent bravement au-devant du gros tigre.

Quand il les vit, il s'arrêta court et leur cria d'une voix terrible :

– Ah ! c'est vous, misérables, qui me faites
attendre ainsi ? Ne savez-vous pas que
je vous fais trop d'honneur en vous
mangeant ? Arrivez ici !
Petit père chacal
salua très bas.

– Vraiment, sire, dit-il, que Votre Majesté ne se mette pas en colère. Nous aurions dû venir plus tôt, mais il y a là-bas un gros tigre...

– Un tigre ? rugit la bête féroce. Un tigre ? dans MA jungle ! Je suis le seul tigre ici, ne le savez-vous pas ?

– Oh ! mais, Votre Majesté, dit le rusé petit chacal, c'est un vrai tigre, au moins aussi gros que vous, et je crois que si vous pouviez le voir, il vous ferait peur.

– Peur ! à moi ! à moi, le roi de la jungle !

Et le tigre rugit si fort que tous les arbres de la forêt en tremblèrent.

– Mène-moi vers ce tigre, dit-il, et nous verrons bien. Je vous mangerai tous les deux, lui d'abord, et toi après.

Les petits chacals s'en allèrent en dansant devant le tigre, et ils le conduisirent à un endroit où il y avait un grand puits profond tout plein d'eau limpide et claire.

Ils passèrent d'un côté du puits et le tigre se tint de l'autre.

– Regardez dans le puits, sire, dit père chacal. Votre Majesté y verra l'autre tigre.

Le tigre s'approcha et regarda dans le puits, et naturellement, il y vit la figure d'un tigre qui le regardait aussi. Le tigre se mit à grincer des dents et à secouer la tête, et le tigre dans le puits secoua la tête et grinça des dents. Le tigre fronça les sourcils et se mit en fureur, et l'autre tigre se mit en fureur également, comme de juste.

Vous comprenez bien qu'il n'y avait point d'autre tigre du tout dans la jungle, c'était seulement sa propre figure que la bête féroce voyait dans l'eau, mais il ne le savait pas et, tout en rage, il sauta dans le puits pour attraper son ennemi. Le puits était très profond, et l'eau très froide. Les murs étaient lisses et glissants, et le tigre ne put arriver à grimper le long des parois et finit par être noyé.

Et quand ils furent bien sûrs de sa mort, les petits chacals se prirent par la main, et se mirent à danser tout autour du puits en chantant :

– Monseigneur tigre est mort, ho ! ho ! ho !
Il est mort, le puissant seigneur ! ho ! ho ! ho !
À présent nous vivrons heureux !

# Le Sanglier et la Tortue

Un jour, la tortue, ayant besoin d'huile, alla chez le sanglier.

– Sanglier, as-tu de l'huile ?

– Oui, grogna le sanglier, j'ai de l'huile.

– Peux-tu m'en prêter ?

– Pour quoi faire ? grogna le sanglier.

– Pour porter au sorcier, répondit la tortue.

– Donne ta calebasse, grogna le sanglier, et souviens-toi que tu dois me rendre cette huile dans neuf jours.

– C'est promis, dit la tortue.

Le sanglier remplit donc la calebasse et la tortue s'en alla.

Au bout de neuf jours, le sanglier vint récla-
mer son huile.

— Sanglier, dit la tortue, je t'en supplie, accorde-
moi encore deux jours.

— C'est bon, c'est bon, grogna le sanglier. Mais
prends garde à toi si tu ne tiens pas ta promesse !

Et le sanglier retourna chez lui.

— Que faire ? gémit la tortue. Je n'aurai pas
plus d'huile dans deux jours qu'aujourd'hui.

— Ne te tourmente donc pas, lui répondit sa
femme. Nous avons un avantage sur les autres
avec notre carapace... Quand tu entendras

le sanglier venir, mets-toi bien vite à la place de la pierre à moudre le maïs, rentre ta tête, tes pattes, ta queue, et ne bouge plus ! Je ferai semblant d'écraser le grain sur toi. Bien malin s'il te reconnaît ! Il te cherchera, il se fâchera et pour m'empêcher de travailler il te jettera dans la brousse. Tu en profiteras pour te cacher sous terre.

Monsieur tortue, enchanté de l'idée, félicita chaudement sa femme et s'endormit, rassuré.

Le surlendemain, le sanglier revint.

– Madame tortue, où est votre mari ?

– Ah ! Ah ! Ah ! se moqua madame tortue. Il est là, mais vous ne le trouverez pas !

Le sanglier, très fâché, bouscula madame tortue qui écrasait du maïs sur une pierre (n'oubliez pas que c'était monsieur tortue).

Il saisit la pierre et la lança très fort, loin dans la brousse, et monsieur tortue en profita pour se couler prestement dans un terrier.

Avec son groin, le sanglier fouilla partout dans la case, partout dans la vase du marécage au bord duquel vivait la tortue.

Mais il ne trouva rien : ni huile, ni tortue.

Et c'est pourquoi, depuis ce temps, le sanglier fouille, fouille sans cesse les bords des marécages : il cherche la tortue qui n'avait pas tenu parole.

# L'Histoire de Ratapon

Il y avait une fois un petit lapin gris qui demeurait avec sa maman dans un joli petit nid sous l'herbe longue. Il s'appelait Ratapon, et sa maman s'appelait Marion Courte-Queue. Tous les matins, quand Marion Courte-Queue allait chercher son déjeuner, elle disait à son fils : « À présent, Ratapon, couche-toi bien tranquille, et ne fais pas de bruit. Quoi que ce soit que tu voies, quoi que ce soit que tu entendes, ne bouge pas ! Rappelle-toi que tu n'es qu'un bébé lapin, et reste caché !... »

Et Ratapon disait : « Oui, maman. »

Un jour, après que sa maman fut partie, il était bien tranquille dans son nid, fourrant son nez dans l'herbe verte.

En tournant un peu la tête, comme ça, il pouvait voir quelque chose de ce qui se passait dans le monde.

Une fois, un gros geai s'était posé sur une branche, et criait : « Voleur ! voleur ! »

Mais Ratapon ne bougea ni pied ni patte ; il resta tranquille.

Une autre fois, une bête à bon Dieu fit une promenade le long d'une tige d'herbe, mais elle était trop lourde, et quand elle fut arrivée en haut, elle dégringola jusqu'en bas.

Ratapon avait bien envie de rire, mais il ne bougea ni pied ni patte, il se tint tranquille.

Ce jour-là le soleil était très chaud, et tout paraissait endormi. Tout à coup, Ratapon entendit un petit bruit, loin... bien loin, comme si on faisait ch, ch, ch, très doucement. Il écouta. C'était un drôle de bruit... ch, ch, quelquefois plus faible, puis plus rapproché !

– C'est intéressant, pensa Ratapon. Qu'est-ce que ça peut bien être ? C'est comme si quelqu'un s'approchait ; mais, d'ordinaire, quand on s'approche, j'entends des pas, et ici, je n'entends que ch, ch, ch. Qu'est-ce qui peut bien être là ?

Le bruit devenait plus fort.

Pour le coup, Ratapon oublia les ordres de sa maman, et se dressa sur ses pattes de derrière.

Le bruit s'arrêta.

– Bah ! dit Ratapon, je ne suis plus un bébé, j'ai trois semaines, je veux savoir ce que c'est.

Il avança la tête hors du nid et regarda... droit dans les yeux d'un gros vilain serpent.

– Ma... man ! Ma... man ! cria Ratapon. Oh !
Ma...

Mais il ne pouvait plus crier parce que le
méchant serpent lui avait déjà saisi une oreille, et
s'enroulait autour de son petit corps. Pauvre
Ratapon !

Mais maman avait entendu. Elle sauta par-dessus les pierres, elle bondit par-dessus les tau-pinières, à travers l'herbe et à travers les bruyères et elle courait comme le vent. Ce n'était plus une petite timide Marion Courte-Queue, c'était une maman qui venait au secours de son bébé. Quand elle vit Ratapon et le serpent, elle prit son élan, et hop ! hop ! elle sauta sur le dos de l'affreux animal et elle le griffa avec ses ongles.

Il siffla avec rage, mais il ne lâcha pas Ratapon. Hop ! hop ! Elle sauta de nouveau, et, cette fois, elle lui égratigna la peau et lui fit si mal qu'il se tortilla, mais sans lâcher Ratapon. Enfin la maman lapine sauta une troisième fois et déchira la peau du serpent avec ses griffes.

Elle mordait, elle griffait, si bien qu'il lâcha le petit lapin pour se défendre, et Ratapon roula comme une balle et se mit à courir.

– Cours vite ! Cours vite ! criait la maman ; et vous pouvez penser s'il galopait !

Un moment après, Marion Courte-Queue l'avait rattrapé et lui montrait le chemin. Quand elle courait, on voyait une petite tache blanche sous sa petite queue, et Ratapon suivait la petite tache blanche.

Elle le mena loin, bien loin, à travers l'herbe touffue, jusqu'à un endroit où le méchant serpent ne pourrait plus les retrouver, et là, elle se refit un autre nid. Et vous pensez bien qu'à présent, quand elle disait à Ratapon de rester caché, il n'avait plus envie de désobéir.

# Picorette

Par une belle matinée d'été, dame Picorette, la poule blanche, picorait des grains sous une ramée de petits pois, quand une cosse lui tomba sur la queue avec une telle force qu'elle crut que le ciel allait tomber. Alors, elle pensa qu'il lui fallait aller avertir le roi, et elle s'en alla sautillant, sautillant, jusqu'à ce qu'elle rencontrât Chantecler le coq. Et Chantecler lui dit :

– Où vas-tu comme ça, Picorette la poule blanche ?

– Oh, Chantecler, dit-elle ; le ciel va tomber, et je vais le dire au roi.

– J'irai avec toi, dit Chantecler, et les voilà sautillant, sautillant, sautillant, Chantecler et Picorette, et ils rencontrèrent Clopinant le canard.

Et le canard leur dit :

– Où allez-vous comme ça, Chantecler et Picorette ?

Et ils dirent :

– Oh ! Clopinant, le ciel va tomber et nous allons le dire au roi !

– J'irai avec vous, dit Clopinant.

Et les voilà sautillant, sautillant, sautillant, Clopinant, Chantecler et Picorette, et ils rencontrèrent Dandinette l'oie grise.

– Où allez-vous comme ça, Clopinant, Chantecler et Picorette ? leur demanda l'oie.

– Oh ! Dandinette, lui dirent-ils, le ciel va tomber, et nous allons le dire au roi.

– J'irai avec vous, dit Dandinette.

Et les voilà sautillant, sautillant, sautillant, Dandinette, Clopinant, Chantecler et Picorette, et ils rencontrèrent Glouglou le dindon.

– Où allez-vous comme ça, Dandinette, Clopinant, Chantecler et Picorette ? demanda le dindon.

– Oh ! Glouglou, dirent-ils, le ciel va tomber, et nous allons le dire au roi.

– J'irai avec vous, dit Glouglou.

Et les voilà sautillant, sautillant, sautillant,

Glouglou, Dandinette, Clopinant, Chantecler et Picorette, et ils rencontrèrent compère le Renard.

Et le renard leur dit :

– Où allez-vous comme ça, Glouglou et Dandinette, Clopinant, Chantecler et Picorette ?

– Oh ! compère Renard, dirent-ils, le ciel va tomber, et nous allons le dire au roi !

Et compère Renard dit doucement :

– Venez avec moi, Glouglou, et Dandinette, Clopinant, Chantecler et Picorette, et je vous montrerai le chemin qui va au palais du roi.

Mais ils répondirent :

– Oh ! non, compère Renard, nous trouverons bien le chemin tout seuls, et nous n'avons pas besoin de vous !

Et les voilà sautillant, sautillant, sautillant, et ils arrivèrent au palais du roi. Le roi se mit à rire, mais il les remercia grandement et leur donna à chacun une pièce de dix sous toute neuve !

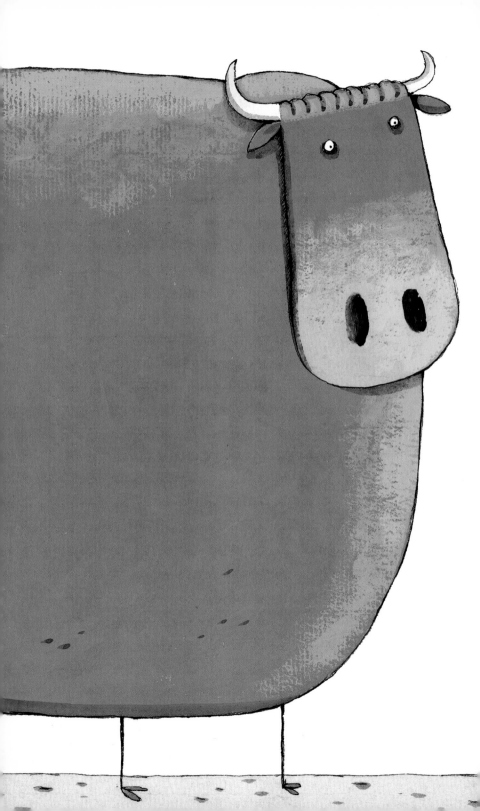

# La Grenouille et le Bœuf

Une grenouille vit un bœuf. Ce bœuf lui parut très beau.

– Comme il est gros ! disait-elle, comme il est grand ! Moi, je suis toute petite. Cela m'ennuie. Je voudrais bien être aussi grosse que le bœuf.

Alors la petite grenouille se mit à manger beaucoup pour devenir grosse, grosse comme le bœuf ! Elle n'avait pas toujours faim, mais elle mangeait quand même et elle disait à sa petite sœur grenouille :

– Regarde bien, ma sœur, regarde si je grossis, regarde si je suis aussi grosse que le bœuf !

– Oh ! non ! tu n'es pas aussi grosse que le bœuf.

La petite grenouille mangea encore plus, elle grossit encore ; elle ne pouvait presque plus sauter.

– Regarde maintenant si je suis aussi grosse que le bœuf.

– Oh ! non ! tu n'es pas aussi grosse que le bœuf. Tu es bien plus petite. Tu ne seras jamais aussi grosse que le bœuf.

Mais la petite grenouille voulait devenir aussi grosse que le bœuf. Elle se mit à manger encore plus d'herbe et de mouches et tout ce qu'elle trouvait à manger.

Elle grossissait, elle ne pouvait presque plus marcher.

C'était maintenant une grosse, grosse grenouille, mais elle n'était pas aussi grosse que le bœuf, et sa petite sœur grenouille se moquait d'elle.

– Tu as beau manger, tu ne seras jamais aussi grosse que le bœuf, tu es une petite grenouille ! Pourquoi veux-tu être grosse comme un bœuf ?

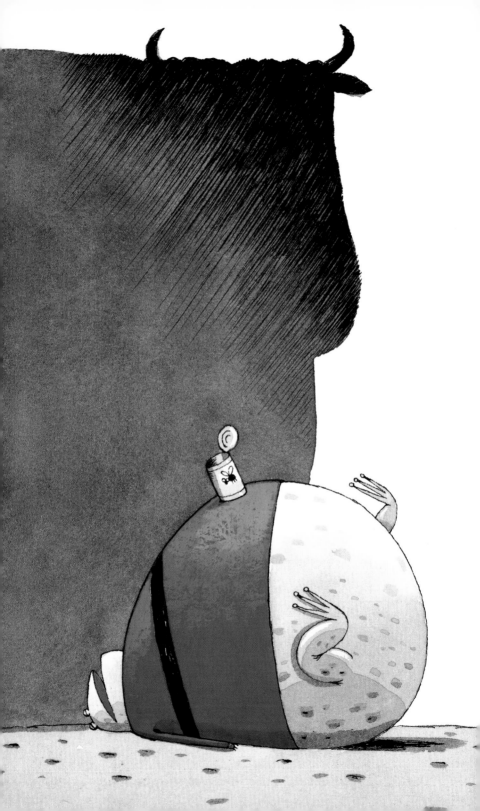

Mais la grenouille n'écoutait pas sa sœur. Elle mangeait toujours.

Et savez-vous ce qui arriva ?

Elle mangea trop, elle devint malade et elle mourut.

Oh ! la petite sotte, la petite envieuse ! Pourquoi ne voulait-elle pas rester une petite grenouille ?

Les grenouilles sont très gentilles, toutes petites... Si elles étaient grosses comme des bœufs, elles seraient bien laides et ne pourraient pas sauter dans l'herbe et se cacher sous les feuilles ou dans les roseaux quand on veut les attraper.

# Les Trois Filles

Il était une fois une brave femme qui travaillait dur le jour et peinait tard la nuit pour nourrir et vêtir ses trois petites filles.

Les trois petites filles grandirent et devinrent trois jeunes filles vives comme des hirondelles et belles comme le jour.

L'une après l'autre, elles se marièrent et partirent chacune avec leur mari.

Les années passèrent. Et la brave femme, qui était devenue très vieille, tomba gravement malade. Elle voulut revoir ses enfants et envoya à leur recherche le petit écureuil roux.

– Dis-leur, petit écureuil gentil, dis-leur qu'elles viennent vite !

Le petit écureuil courut, courut et arriva chez l'aînée des filles. Elle était en train de récurer des bassines.

– Oh ! soupira-t-elle, en écoutant les mauvaises nouvelles, oh ! j'irais bien tout de suite, mais il me faut avant tout récurer ces deux bassines...

– Ah ! vraiment, tu dois AVANT TOUT récurer ces deux bassines ? répondit l'écureuil en colère. Eh bien, ma belle, tu ne t'en sépareras plus jamais...

Et les deux bassines, quittant soudain la table, sautèrent, l'une sur le dos, l'autre sur le ventre de la jeune femme, l'enfermant comme dans une coquille.

La mauvaise fille tomba par terre et sortit de la maison à quatre pattes, transformée en une grosse tortue.

Le petit écureuil roux courut, courut encore et arriva chez la cadette des filles. Elle était en train de tisser de la toile.

— Oh ! soupira-t-elle en écoutant les mauvaises nouvelles, oh ! j'irais bien tout de suite, mais il me faut avant tout tisser ma pièce de toile pour la vendre à la foire...

– Ah ! vraiment, tu dois AVANT TOUT tisser une pièce de toile pour la vendre à la foire ? répondit l'écureuil en colère. Eh bien, ma belle, tu fileras toute ta vie, tu fileras à jamais...

Et en un instant, la cadette des filles se trouva transformée en une grosse araignée tissant sa toile.

Le petit écureuil courut, courut de nouveau et arriva chez la troisième fille.

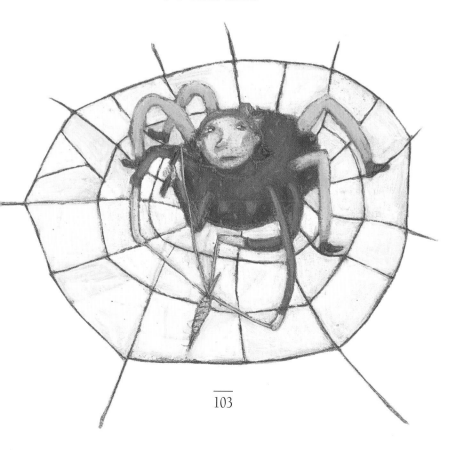

Elle était en train de pétrir de la pâte.

Elle écouta les mauvaises nouvelles, ne répondit rien, mais, sans même prendre la peine d'essuyer ses mains, elle partit chez sa mère.

– Tu es une bonne fille, dit l'écureuil, content. Désormais, tu apporteras au monde douceur et bonheur. Les hommes te soigneront et t'aimeront. Il en sera de même pour tes enfants, tes petits-enfants et arrière-petits-enfants.

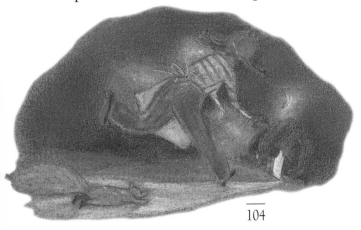

Et il en fut vraiment ainsi. La troisième fille vécut longtemps, aimée et choyée de tout le monde.

Puis, quand vint son heure de mourir, elle se transforma en une belle abeille dorée.

C'est depuis ce temps-là que, durant les longs jours d'été, la petite abeille dorée ramasse du matin au soir le miel dans les fleurs et que ses pattes de devant pétrissent continuellement la pâte sucrée. Aussi pendant l'hiver dort-elle paisiblement dans une ruche tiède, et quand elle se réveille, elle se nourrit de sucre et de miel.

# La Cigogne

Dans un petit village de Norvège, on voit l'image d'une cigogne sculptée au-dessus de la porte de l'église et de plusieurs maisons. Et voici l'histoire que les gens racontent.

Il y a longtemps vivait dans ce village un petit garçon appelé Conrad. Sa mère était veuve, et n'avait que lui comme enfant.

Chaque été, une cigogne venait bâtir son nid sur le toit de leur maison. Le petit Conrad et sa mère étaient très bons pour la cigogne. Ils lui donnaient à manger et la caressaient, de sorte qu'elle devint tout à fait familière et venait manger dans leur main.

Lorsque Conrad fut grand, il alla en mer, comme beaucoup d'autres garçons de son pays.

Mais à cette époque, il y avait encore des pirates et il arriva qu'ils prirent le vaisseau norvégien et vendirent l'équipage aux Turcs.

Les mois passèrent. Conrad avait des chaînes aux pieds, et travaillait sous le grand soleil d'Afrique, et sa mère l'attendait toujours.

À la fin, elle perdit espoir et prit le deuil ; mais, pour l'amour de son fils, elle continuait à s'intéresser à la cigogne, qui revenait fidèlement à son nid chaque été.

Un jour que le pauvre Conrad travaillait péni-
blement dans les champs, une cigogne, qui pla-
nait dans l'air depuis un moment, se mit à voler
autour de lui en poussant de petits cris de plaisir. Soudainement, Conrad songea à sa chaumière
de Norvège et, il se mit à siffler comme il en avait
l'habitude autrefois pour appeler la cigogne.
Aussitôt, celle-ci se posa près de lui en allon-
geant son long bec. Conrad aurait presque pleuré
de joie en reconnaissant sa vieille amie.

Chaque jour, il cachait une portion de son
maigre repas pour le partager avec elle et, quand
le moment fut venu pour les cigognes de repar-
tir vers le nord, le pauvre garçon pensa qu'il
pourrait peut-être faire savoir où il était.

Il trouva moyen d'écrire quelques lignes sur
un morceau de papier, disant le nom de l'endroit
où il travaillait, et celui de son maître, puis il
l'attacha fortement autour de la patte de l'oiseau.

En Norvège, le printemps revint, et la cigogne avec lui.

La veuve regardait l'oiseau avec tendresse en pensant à son fils, et elle l'appela pour lui donner à manger.

Et, comme la cigogne s'approchait, la pauvre
mère remarqua le chiffon de papier attaché
autour de sa patte. Elle reconnut l'écriture de
Conrad, et courut chez le ministre de la paroisse.

Avec bien de la peine, il finit par lire ce qui était écrit sur le papier et appela ses paroissiens, pour leur en faire part.

Le dimanche suivant, les gens apportèrent tout l'argent qu'ils avaient pu recueillir, en disant qu'il fallait racheter le fils de la veuve. Le pasteur prit l'argent, et partit pour aller raconter au roi ce qu'il en était, et le prier d'envoyer un vaisseau chercher Conrad et ses compagnons.

Dans ce temps-là il fallait beaucoup de temps pour se rendre en Afrique et obtenir la libération des esclaves des Maures.

Cependant, avant que la cigogne fût repartie pour Alger, Conrad était dans les bras de sa mère.

# Les Deux Grenouilles

Il était une fois deux petites grenouilles qui vivaient dans le même étang.

L'une d'elles était courageuse, travailleuse et gaie, tandis que l'autre était paresseuse et de caractère maussade.

Pourtant elles s'entendaient très bien, ces deux grenouilles, et vivaient en bonnes camarades.

Un soir, elles sortirent faire un petit tour. Et tout en se promenant, elles aperçurent une maisonnette.

– Allons voir de plus près, proposa la première grenouillette.

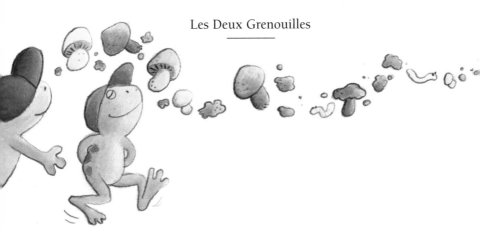

Sous la maison il y avait une cave.

Et de cette cave venait une odeur délicieuse : cela sentait le moisi, l'humidité, les champignons ; juste une odeur pour plaire aux grenouilles !

– Hum ! que ça sent bon ! dit la seconde grenouille.

Elles passèrent par le soupirail et se mirent à jouer.

Elles sautaient sur les tonneaux, jouaient à cache-cache parmi les bouteilles et les pots et s'amusaient vraiment beaucoup, quand tout d'un coup, elles glissèrent et tombèrent toutes les deux dans une jarre pleine de crème.

Les grenouilles sont bonnes nageuses, comme chacun sait, mais elles avaient beau agiter leurs pattes, elles ne parvenaient pas à se dégager de la crème ni à grimper contre les parois lisses et glissantes de la jarre ; elles retombaient continuellement.

La grenouille paresseuse et peureuse se découragea vite.

– À quoi bon lutter ? dit-elle. Je vais me fatiguer en vain. Autant en finir tout de suite.

– Mais non ! disait l'autre. Nage, ne perds pas courage ! On ne sait jamais, tâchons de gagner du temps...

– Non, non, disait la paresseuse. Tant pis, j'abandonne... Et puis, cette crème est écœurante...

Et elle se laissa couler et se noya.

L'autre grenouille continuait à se débattre de toutes ses forces. Elle essayait de grimper sur la paroi de la jarre, glissait, puis recommençait sans se lasser.

La courageuse petite bête frappait, frappait la crème en détendant ses longues cuisses.

« Je ne veux pas me noyer, se répétait-elle, je ne veux pas me noyer... Allons, encore un peu de courage... »

Mais ses forces diminuaient.

La tête commençait à lui tourner.

– Vais-je vraiment me noyer ? se disait-elle. Allons, encore un petit effort... Je vais quand même arriver à me sauver... On n'a jamais vu une grenouille périr dans un pot de crème !

Et elle agitait, agitait ses pattes, malgré la fatigue qui l'envahissait, l'engourdissait, l'affaiblissait de plus en plus.

La grenouille semblait perdue.

Et quelque chose changea soudain.

La crème n'était plus molle ni liquide, la crème n'était plus crème, les pattes de la grenouille ne s'enfonçaient plus, mais pouvaient prendre appui sur une base solide.

– Ouf ! soupira la grenouille à bout de forces.

Et elle regarda autour d'elle :

ELLE ÉTAIT ASSISE SUR DU BEURRE !

# TABLE DES HISTOIRES

La Drôle de Maison 7
Texte de Natha Caputo
Illustrations de Jean-François Martin

La Petite Poule rouge 15
Texte de Sara Cone Bryant
Illustrations de Anne-Sophie Lanquetin

Le Petit Sapin 19
Texte de Sara Cone Bryant
Illustrations de Hervé Blondon

Le Serpent et la Grenouille 29
Texte de Sara Cone Bryant
Illustrations de Christophe Merlin

Pourquoi les animaux ont une queue 35
Texte de Natha Caputo
Illustrations de Andrée Prigent

C'était un loup si bête 43
Texte de Natha Caputo
Illustrations de Martin Matje

La Maison que Pierre a bâtie 49
Texte de Sara Cone Bryant
Illustrations de Sylvie Albert

Le Petit Coq et la Poulette 55
Texte de Natha Caputo
Illustrations de Christel Desmoinaux

Le Tigre et les Deux Petits Chacals        59
    Texte de Sara Cone Bryant
    Illustrations de Martin Matje

Le Sanglier et la Tortue        69
    Texte de Natha Caputo
    Illustrations de Martin Jarrie

L'Histoire de Ratapon        75
    Texte de Sara Cone Bryant
    Illustrations de Jean-François Martin

Picorette        85
    Texte de Sara Cone Bryant
    Illustrations de Sylvie Albert

La Grenouille et le Bœuf        93
    Texte de Sara Cone Bryant
    Illustrations de Martin Matje

Les Trois Filles        99
    Texte de Natha Caputo
    Illustrations de Irina Karlukowska

La Cigogne        107
    Texte de Sara Cone Bryant
    Illustrations de Christophe Merlin

Les Deux Grenouilles        117
    Texte de Natha Caputo
    Illustrations de Christel Desmoinaux